D1303700

CENTENNIAL

STELLA

fée des forêts

MARIE-LOUISE GAY

Dominique et compagnie

BIBLIO OTTAWA LIBRARY

Données de catalogage avant publication (Canada)
Gay, Marie-Louise

(Stella, Fairy of the Forest. Français)
Stella, fée des forêts.
Traduction de : Stella, Fairy of the Forest.
Pour enfants.

ISBN 2-89512-243-1

I. Titre. II. Titre : Stella, Fairy of the Forest. Français.

PS8563.A868S73214 2002 jC813'.54 C2001-941307-6
PS9563.A868S73214 2002
PZ23.G38St 2002

Aucune édition, impression, adaptation ou reproduction
de ce texte, par quelque procédé que ce soit, tant électronique
que mécanique, en particulier par photocopie ou par microfilm,
ne peut être faite sans l'autorisation écrite de l'éditeur.

Stella, Fairy of the Forest
© 2002 Marie-Louise Gay
Publié par Groundwood Books/Douglas & McIntyre

Version française
Pour le Canada
Les éditions Héritage inc. 2002
Tous droits réservés

Texte français : Marie-Louise Gay
Directrice de collection : Lucie Papineau

Dépôt légal : 1er trimestre 2002
Bibliothèque nationale du Québec
Bibliothèque nationale du Canada

Imprimé en Chine

Dominique et compagnie
300, rue Arran, Saint-Lambert (Québec) J4R 1K5
Téléphone : (514) 875-0327
Télécopieur : (450) 672-5448
Courriel : dominiqueetcie@editionsheritage.com

10 9 8 7 6 5 4 3 2

Nous remercions le Conseil des Arts du Canada de l'aide
accordée à notre programme de publication, ainsi que la SODEC
et le ministère du Patrimoine canadien.
Gouvernement du Québec – Programme de crédit d'impôt
pour l'édition de livres – Gestion SODEC.

Pour mon père

–Stella ! crie Sacha. Stella ! Où es-tu ?
–Ici, chuchote Stella.

— ... ? répète Sacha. Je ne te vois pas.

— ... demment, dit Stella. Je m'entraîne à devenir invisible.

–Ah ! te voilà ! dit Sacha. Comment as-tu fait ça ?
–J'ai pensé à des choses invisibles, comme le vent ou la musique…
–… ou les fées ? demande Sacha.

fées ne sont pas invisibles, dit Stella. J'en ai vu des centaines.

iment ? Où les as-tu vues ?

is la forêt, répond Stella. Là-bas. On y va ?

–Je ne sais pas, dit Sacha. Est-ce qu'il y a des ours dans la forêt ?
–Les ours dorment toute la journée, répond Stella. Suis-moi, Sacha.

— …uoi ressemblent les fées ? demande Sacha.

— …es sont minuscules et ravissantes, dit Stella. Et elles volent très vite.

— …! crie Sacha. J'en vois une !

–Ce n'est pas une fée, Sacha. C'est un papillon.
–Un papillon ! s'exclame Sacha. En es-tu bien sûre ?
–Vois-tu sa baguette magique ? demande Stella.

n.

là ! Ce n'est pas une fée, dit Stella.

noins qu'elle ait oublié sa baguette magique à la maison… dit Sacha.

–Regarde, dit Sacha, ces nuages font la sieste dans les champs.
–Ce ne sont pas des nuages, Sacha. Ce sont des moutons.
–Des moutons ? s'inquiète Sacha. Est-ce que ça mord, un mouton ?

is non, répond Stella. Les moutons ne broutent que de l'herbe.

s leur dire bonjour.

-y, toi, dit Sacha, et dis-leur bonjour de ma part.

– Qui a planté toutes ces fleurs ? demande Sacha.
– Les oiseaux et les abeilles, répond Stella.
– Des abeilles ! s'exclame Sacha. Elles vont nous piquer !

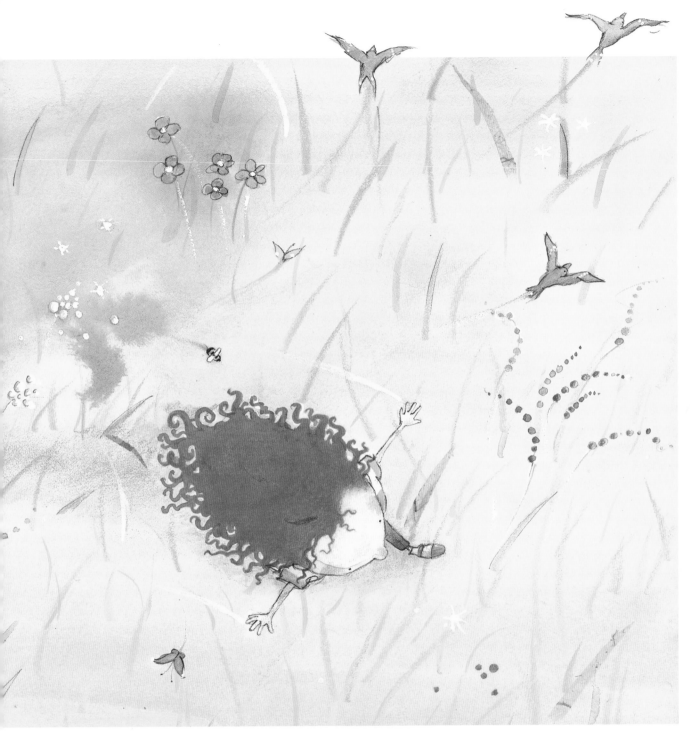

is non, dit Stella, pas si tu marches tr-r-r-ès lentement.

la! Tu as une abeille dans les cheveux…

urs, Sacha, cours!

–Il faut traverser ce ruisseau, dit Stella.
–Mais je ne veux pas me mouiller les pieds, dit Sacha.
–Grimpe sur mon dos. Je te porterai.

uis trop lourd, insiste Sacha. C'est trop glissant.

allons tomber à l'eau.

s non, dit Stella. Je marcherai doucement sur les pierres.

–Stella ? Est-ce que cette pierre était une tortue ?
–Oui, Sacha, soupire Stella.

— Les tortues nagent très vite, dit Sacha. Est-ce que les fées savent nager ?
Est-ce qu'elles mouillent leurs ailes ?
— Est-ce qu'on pourrait sortir de l'eau ? dit Stella.

–Regarde, Sacha! Ces arbres ont au moins cent ans!
–Est-ce qu'ils sont plus vieux que grand-maman? demande Sacha.
–Pas tout à fait, dit Stella. Grand-maman est très vieille.

st pour ça que leur peau est si ridée? demande Sacha.

n'est pas de la peau, répond Stella. C'est de l'écorce.

corce de grand-maman est plus douce, dit Sacha. Surtout sur ses joues.

– Monte, Sacha, dit Stella. C'est si beau en haut.
– Pourquoi les lapins ne grimpent pas aux arbres ? demande Sacha.

ce qu'ils ont peur de tomber. Tu viens ?

ne savais pas que les lapins étaient si intelligents, dit Sacha.

ste avec eux.

–Regarde ce joli serpent, dit Stella.
–Il ne va pas nous avaler tout rond ? demande Sacha.

st beaucoup trop petit.
is il peut avaler des petites personnes, dit Sacha. Comme les fées.

–Je suis la reine du château ! chante Stella.
–Pourquoi ces rochers sont-ils si gros ? demande Sacha.
–Un géant les arrose tous les jours, répond Stella. Monte, Sacha !

tout de suite, dit Sacha. Je crois que le géant arrose ses rochers.

is non, Sacha, il pleut, dit Stella. Il faut se mettre à l'abri.

–Comment ? demande Sacha.
–Nous ferons un toit avec ces fougères, dit Stella.
Et nous dormirons sur un lit de mousse.

mir ? s'exclame Sacha. Et si les ours se réveillaient ?
e moins fort, dit Stella. Les ours ont le sommeil léger.
ccord, chuchote Sacha.

– Notre maison est parfaite, dit Stella.

– Qu'est-ce qu'on fait maintenant ? demande Sacha.

– On cherche les fées, dit Stella. Si tu en vois une, tu peux faire un souh.

1 vois une ! crie Sacha.

? Où ?

p tard ! dit Sacha. Elle s'est envolée.

7990013

–Tant pis ! dit Stella. Quel était ton souhait ?
–Rester ici toute ma vie… chuchote Sacha.
–… avec moi ! ajoute Stella.